KB103764

나로도 하얀 노을 카페

정민기 시집

나로도 하얀 노을 카페

발　행 | 2024년 7월 02일
저　자 | 정민기
펴낸이 | 한건희
펴낸곳 | 주식회사 부크크
출판사등록 | 2014.07.15.(제2014-16호)
주　소 | 서울 금천구 가산디지털1로 119, SK트윈타워 A동 305호
전　화 | 1670 - 8316
이메일 | info@bookk.co.kr

ISBN | 979-11-410-9194-1

www.bookk.co.kr

시인의 말

현기증밖에 없는 여름 한낮
후박나무 한 그루가 주는 그늘에 앉아
한동안 푸른 하늘 올려다보다가
기약 없이 날아가는 새 한 마리가 얄밉다.
헬리콥터처럼 날아다니는
잠자리의 날개가 선풍기 날개 같은데
써 놓은 시가 주저앉아 쉴 수 있는
시집 한 권을 또 부리나케 내놓는다.

2024년 6월
정민기

차례

시인의 말

사랑의 화산 분출

간절하고 애틋한 마음속에는
그대라는 마그마가 흐르고 있어
마음을 언제 어디에서
누가 흩트려 놓기라도 하면
화산이 분출하여 용암이 흘러내릴 것이다
이것은 전생부터 이어져 내려온 듯
어느 사람도 나뭇가지처럼 꺾을 수 없다
탁구채에 의해서 탁구공은
내가 보는 눈앞에서 멀어지고
가면 갈수록 점점 균열이 생기는 마음
재개발 지역에 서 있는 듯
조금씩 천천히 황폐해져 가고 있다
해안가에서는 뜬금없이 지진 해일 주의보
마음의 화산이 분출할 전조 현상인가
두 번 깨어난 사람들이 다시 잠자는 동안
닭은 뜬눈으로 지새우다가 서러워지고
드디어 들려오는 그때 그 울음소리
사랑을 빼앗아 가려고 눈알을 굴린다

오뚜기 짜장라면을 쪽파김치와 함께

구수한 오뚜기 짜장라면을
알싸한 쪽파김치와 함께 먹으니 금상첨화!
세상에 둘도 없는 연인 사이가 아닐까
짜장라면의 먹빛 속셈도 모르고
쪽파김치는 면발을 돌돌 감싸고 있다
혼자서는 사람의 식탐하는 목구멍으로
도저히 들어갈 수 없는 노릇이었겠지
푸른빛 물씬 감도는 알싸한 성격의 쪽파김치
알맞게 익어서 더욱 먹음직스러웠으니
인정사정 볼 것 없이
이렇게 짜장라면에 한 끼 때우는 거다
해는 뉘엿뉘엿 져서 금세 노을이 펼쳐지고
짜장라면 분말수프처럼 어둠이 스며든다
잊을 수 없는 맛의 매력에 한 번 빠지니
다음에 또 먹어야겠다는 생각 또한 짙다

편의점 앞 플라스틱 간이 의자

편의점 앞 플라스틱 간이 의자
저 네발 달린 짐승은 짖거나 울지 못한다
울음을 어딘가로 떠나보낸 그는
자신의 처지를 아랑곳하지 않는다
그가 바라보는 풍경은
바람이 판소리처럼 불어오는 절창이다
근처에서 들려오는 파도 소리를 귀에 꽂고
한 젊은 남자가 컵라면을 먹느라
플라스틱 간이 의자에 올라타고 있다
네발 달린 짐승이 달려 나갈 것만 같아
채찍질하지 않고 가죽을 쓰다듬는다
숲에서 새어 나오는 푸른 녹음의 짙은 소리
편의점 저 앞에 골목길이 목구멍처럼 이어져
걸어가는 사람들이 꿀떡꿀떡 넘어간다
페트병에 담긴 물빛이 일렁거리는
적막을 산그림자가 굶주린 듯 핥고 있다
플라스틱 간이 의자를 탁본하는 듯
그림자를 바닥에 그대로 눕혀 놓는다

시골의 밤거리

시골의 밤거리는 도시의 밤거리보다
바짝 말라 적막한 강물 같기만 한데
어둠에 지친 가로등 겨우 불빛 게워 낸다
낮 동안 바람이 여기저기 쓸고 다녔나
쓸쓸한 기운이 감도는 골목길을 걷는다
지독한 세월 따라 아름다움은 멀어져
온데간데없이 어느 곳에도 보이지 않는다
깊고 깊은 어둠의 바다는 반짝반짝
별이라는 파도가 무한히 철썩거린다
옷매무새가 단정하게 깔끔한 저녁노을은
잠깐 얼굴만 기웃거리더니 금세 들어가
달콤한 잠에 빠져들었는지 인기척이 없다
굽을 길을 돌고 돌아 걸어 나오는 달빛
그대 눈동자에서 나오는 빛처럼 정겹다
우유를 쏟은 듯한 은하수를 노 젓는 뱃사공
미끄러지듯 유유히 떠가는 달을 맞이하는
꽃들이 만발하게 피어 눈동자가 환하다
뭉크처럼 절규하는지 점점 찡그리고 있다

꽃 진 자리에서 꽃향기를 맡는다

꽃 진 자리에서 꽃향기를 맡는다
싱싱한 봄을 뜯어 먹으며
여름이 부쩍부쩍 자라나고 있다
책을 덮으면 아픔이 몰려오고
다시 책을 펼치면 기쁨이 몰려온다
물 한 잔 마시는 상쾌한 아침
별들이 속삭이던 간밤을 떠올린다
침묵하는 창가에 한동안 서서
기억 속에 있는 너를 그리워한다
공중에서 잠시 떨다가 떨어지는 햇살
돌이킬 수 없도록 지나간 많은 세월
작별은 담쟁이넝쿨이 되어 기어오른다
매일 파도처럼 머리맡에 부려놓는 생각
나비는 꽃잎이 간이침대라도 되는 듯

낮달 동네에 꽃구름이 두둥실

낮달 동네에 하늘이 게워 놓은
꽃구름이 두둥실 환하게 피어오르네
오래전의 추억이라도 되는 듯
나비 물결 나풀나풀
따분하고 지루한 시간이 냇물처럼 흐르네
늙디늙은 산은 꽃구름을 둘러쓰고
거울 같은 저수지 물빛에 비추고 있네
새파랗게 흐르는 하늘 물의 발원지는 어디?
징검다리처럼 우리 띄엄띄엄 만나는 날
삶에 풍덩 빠져 적시기라도 하면
서늘하다 못해 가슴은 더 뭉클해지네
마음을 비우고 어딘가로 떠가고 싶은데
기억 한줄기 같은 햇살 따스하네

바람 부는 날

무슨 신호라도 되는 듯
바람에 봉지가 날아오르고 있다
아무렇게 버려진 뭉게구름이
흩날리는 하늘은 언제나 푸르기만 한데
무화과는 속으로 우는 여자처럼
한창 꽃을 흐느끼고 있다
면사포 속에 화사하게 피어난 얼굴
삼겹살을 쌈장 없이 그냥 먹는 것처럼
오늘은 왠지 사랑이 느끼하다
낮달처럼 커피 한 잔 기울이는 오후
추억이 점점 식어가고 있다
바람이 끌어다 놓은 나뭇잎 한 장
푸르디푸른 기억조차 쪼아대는 새 떼
갑자기 바람 소리 삼키고 싶다

진초록 마음 한 점

김 가루 뿌려진 듯 저 별은 반짝거려
진초록 마음 한 점 빛나고 또 빛나네
옥구슬 구르는 듯한 고운 목소리 들려와

김치에 밥 한술 떠 물 말아 먹던 시절
진자리 마른자리 누이시던 내 어머니
옥으로 만든 그릇처럼 소중하고 소중해

길 위에서

온갖 새들이 꺾어 물고 와 부려 놓은
소리가 마르고 있다
해는 지려고 서두르고 아직 그대로 서서
토란잎에 개구리처럼 두 눈동자
서둘러 튀어나오려고 한다
나무는 나이테를 남몰래 속으로 앓고
누굴 떠나보내고
그 자리에 우두커니 서 있는지
어쩌면 불어온 바람이 머무는 동안
그렇게 어깨를 다독이며 위로했는지 모른다
머리를 떠난 낮달이 떠 있는 하늘 속으로
구름 가족 나들이 나와 한가로이 거닐고
비처럼 쏟아지는 햇살 맞으며
길 위에서 또 다른 나무로 잠시 서 있는다
무엇을 잃어버렸나?
풀잎을 뒤적거리던 바람이 금세 울상이다

접시꽃

박처럼 주렁주렁 꽃잎이 매달려서
형형색색 꽃 접시가 층층이 쌓여 있네
자애심 하나만으로도 그 마음은 화려해

내 기억 속의 오렌지 나무

이렇게 오랫동안 가만히 서 있으니
복덩이 돌멩이가 언덕길 굴러오고
심란한 마음에선지 오렌지빛 물드네

정드는 순간부터 내 앞에 한 그루로
학 날개 활짝 편 듯 바람이 심어지고
심심한 생각조차도 멀리멀리 날아가

정다운 오렌지 나무 세 그루 우뚝 서서
경주마 달려오듯 우렁찬 바람 소리
자꾸만 듣고 싶어서 비스듬히 기울여

구례 수락폭포

부러질 것 같은 저 물줄기의 허리가
내내 끊어지지 않고 이어지는 건
어쩌면 주변에 진을 친 울창한 녹음 때문!
차곡차곡 쌓아질 것 같아서
오래 바라보는 물기둥은 등골이 서늘하다
한꺼번에 아우성치는 폭포 소리가
아침까지 뚫어 놓았을까, 새로 생긴
낮달 터널이 공중에 솟구쳐 올라가 있다
국창 선생의 득음한 자리는 득음정이 들어서
자리를 차지해 끝까지 버티기를 수백 번!
떠나가라는 물소리는 이제 새 떼의 소리로
나비처럼 흩어지고 있다
물을 맞이하고 싶은 사람들의 마음은
발길로 시원하게 폭포까지 끝없이 이어진다
귓불 물레방아를 돌고 돌아 들려오는 폭포수
만약 참회의 호통 소리라면
기어이 이곳에서 마음을 다질 것이다
너른 바위에 앉아 찾아오는 발걸음을 듣는다
온갖 야생화의 향기도 폭포수처럼 흐른다

유월의 나날은

호국 보훈의 달이 떠오르는
유월의 나날은
언제 어디서나 바람 앞의 풀잎처럼
고개를 숙이며 묵념한다
물을 좋아하는 수국은
장마철이 다가오는 여름철에 피어나고
비밀 정원이 있는 섬 속의 섬에서
별을 보며 하룻밤을 지새우고 싶기도 한데
아직도 내 앞의 그대는
잎이 지는 한 그루의 나무로 서 있다
파도에 젖은 해변을 걸을 때면
갈매기가 날아다니면서
녹슨 소리로 뭐라고 지껄여 주기도 했다
꽃이 지는 저녁에도 호국 영령은 지지 않는다
바람이 흘러와서 어디론가 흘러갈 때
나 또한 흘러가고 싶었다
누구도 다녀가지 않는 외딴섬인 듯
마음은 파도를 부른다

하늘에 낮달 띄워 시조를 읊을 뿐인

하늘에 낮달 띄워 시조를 읊을 뿐인
나무는 바람 따라 한동안 설렜으니
부서진 구름 파편은 여기저기 흩어져

섬진강 청매실

이른 봄 매화 향기를 온몸에 강물처럼
흠뻑 적셨더니
섬진강 청매실 푸른 눈빛으로 바라보고 있습니다
광양 홍쌍리 청매실 농원에
매번 가 볼 기회가 없어서 마음만 나비처럼
나풀나풀 다녀왔었습니다
백운산 5만 평 자락이 순간 나풀거렸습니다
바람에 내동댕이쳐진 청매실 몇 알
별처럼 싱그럽게 반짝거려서
붉어진 눈시울을 서녘에 널어놓았습니다
청매실 농원 홍쌍리 씨는
매화는 딸 같고 매실은 아들 같을 텐데
푸른 이야기만 구름처럼 두둥실 떠다니면,
그러면 저로서는 참으로 좋겠습니다
흙 속에 뿌리를 내려 튼튼하게 자란 매실나무
살아가다 보니 매화는 희망이 되고
매실은 용기를 북돋아 주더라면서 해 같습니다
바람은 구름을 흘려보내고
가뭄이던 사랑이 철철 넘치고 있습니다

고흥 읍내 옷 수선집 앞에서

나의 사랑은 밤비 내리는 언덕길을 올라도
좀처럼 새벽달이 뜨지 않는다
잔뜩 흐려 별 볼 일 없는 날에 고흥 읍내
옷 수선집 앞에서 어제 써 놓은 시를 퇴고한다
성격이 질기디질긴 가죽옷이 아니라서
그나마 다행이지만
옷 수선집 여자가 밖을 기웃거려도,
구름에 가려진 해처럼 그렇게 기웃거려도
한 편으로 된 긴 시의 밑부분을 줄이고
때 이른 철새 떼처럼 긴 옆부분을 줄이고
밤하늘에 눈빛처럼 반짝거리는
별 같은 단추를 달고 있으니까, 그제야
수선집 문이 나비가 날갯짓하듯 활짝 열린다

고흥 옷 수선집 그 여자는
수줍은 미소 날려주면서 커피 한 잔 건네고
수선한 시를 독자분께 배달하러 간다
나는 고흥 옷 수선집 앞에서
명품 옷을 입은 듯 어깨를 들썩거린다

금계국 독서

양 갈래 들길에서 펼쳐 본 금계국은
현악기 연주하듯 마음이 떨려온다
주사위 던져진 순간 금세 읽는 사랑아

맨발

그의 부르튼 발을 내려다보면
신라 시대 화랑의 발을 보는 것 같다
귀가하는 도중에 만난
오르막길은 이제 그에게는 버거운 존재!
몸은 지친 언약으로 찌들어 피곤해 보인다
꽃이 막 개화한 듯 부어오른 발의
기분은 그다지 썩 좋지 않은 것 같지만
너도 어디선가는 별처럼 반짝이겠지?
그리움을 향해 걸어가는 발
양말 속에 선물처럼 들어가 앉아 있는 맨발
청춘의 시절은 꽃처럼 져 버리고
가뭄인 듯 바짝바짝 말라 금이 그어졌다

하늘이 쾌청하니 마음도 쾌청하다

하늘이 쾌청하니 마음도 쾌청하다
아침에 일어나서 거울을 바라보면
간밤 꿈 새록새록 피어나
화분으로 옮겨 심는다

마지막 꿈자리

마지막 꿈자리가 하도 사납게 철썩거린다
바닷가를 거닐던 그때 그 소리 들려오는 듯!
나도 푸르고 푸르도록 나이가 들어간다
거꾸로 돌고 도는 시계가 있어도
세상이 똑바로 돌고 돈다면 헛수고이겠지
소나무를 바라보며 푸른 녹음에 흠뻑 젖는다
지금 사는 일이 그러하듯이
또다시 바람이 불듯 포기하고 싶지는 않다
노래하다가 점점 기어들어 가는 새들의 소리
맑은 안부라도 듣는 것처럼 포근해진다
허공에 노 저으며 꽃밭으로 날아가는 나비
너는 지금 당장이라도 달려올 것 같지만
역시나 눈곱만큼이라도 기대하지 않고 있다
들길을 걸어가다가 풀꽃처럼 낮은 자세로
무릎을 꿇고 앉아 있다가 왔던 기억이 난다

꽃잎이 불빛을 떨어뜨리고 있다

꽃들이 저마다 불빛을 일렁거리고
바람이 짓궂게 불어오자
꽃잎이 불빛을 떨어뜨리고 있다
고백의 언어들이 입안에서 떨어지기 전
쓰디쓴 커피처럼
입가에 잠시 멈춰 두리번거린다
꿈속의 독서로 봄눈 녹듯 녹아내리는 아픔
별을 쓴 잉크가 채 마르기도 전에
별똥으로 떨어지는 슬픔이 반짝 빛나고
노을이라는 담장 아래
한 송이 꽃으로 활짝 피어나 앉아 있다
사랑이 마르자 갈라지는 입술
바람이 부서지는 소리가 들려온다
좋거나 싫거나
나는 너에게서 가장 먼 곳에 피어 있다
마음은 쉬는 날이 단 하루도 없다

우산 같은 손바닥

노을에 가려진 새의 노랫소리 들려온다
미로 속에 갇힌 듯
이리저리 헤매는 바람의 무리를 보면
나도 모르게 그 순간이 웃기다
작고 하찮은 풀꽃이라도 깜찍할 때가 있으니
살아가는 지금이 가장 소중한 것이다
백지의 속마음은 너무도 깨끗하여
무엇 하나라도 나무랄 것이 없다
알다가도 모를 인생의 길을 걸어갈 때마다
추억은 분수처럼 시원스럽게 솟아난다
피아노를 가볍게 두드리는 것처럼
길고양이가 사뿐사뿐 걸어가고 있다
동그란 눈동자의 기억에서 밝은 빛이 난다
가방에 구겨 넣은 여름을 꺼내니
쭈글쭈글한 주름이 인상을 찌푸리고 있다
햇살을 맞으며 걷는 초여름 길마다
오색의 빛으로 둘러싸여 눈이 부실 정도이다
비처럼 흩날리는 꽃잎에 꽃비를 맞는 듯
한순간에 펼쳐 드는 우산 같은 손바닥!

지리산을 책처럼 펼쳐 보는 순간 새가 난다

철썩거리느라 지친 녹음이 점점 짙어진다
지리산을 책처럼
펼쳐 보는 순간 새가 난다

반달가슴곰이 놓고 간 거친 울음소리가
어디론가 달아나더라도
나는 사랑처럼 포획하지 않는다

방금 차려진 구름을 순식간에 먹어 치우고
드르렁드르렁 코를 골며 낮잠 잔다

말릴 새도 없이
감자 한 알이 그의 입속에서 철거되었다
아침을 걷어차고 걸어 다니다가
깊은 밤을 덮는다

몰운대를 몰라서 모른대

몰운대를 몰라서 모른대
그동안 모르쇠로 징검다리를 건넜었다
강원특별자치도 정선군 화암면에 있는 절벽
그 끝에는 벼락 맞아 뼈대만 남은
나무 한 그루가 나처럼 앙상하게 서 있다
그 나무를 껴안아 주고 싶은 마음은 굴뚝같다
앞만 보고 흘러가던 구름도 잠시 멈춰
경치에 한눈파는 곳이기에
언젠가 나 또한 그러고 싶은데 기약이 없어
웃음 몇 장만 날려 보내고 있다
구름 한 점 없는 하늘처럼
세간살이 변변하지 않은 삶이더라도
몸속 나이테는 아직도 건장하게 보인다
둘러보면 산으로 꽉 막힌 정선이지만
이런 비무장 같은 곳이 있을 줄 어찌 아나!
그날 저녁은 비라도 나누면서 실컷 울자
정선 오지 계곡도 울면서 흐른다

새벽 산사 풍경 소리

새벽 산사는
스산하고 고즈넉해
떨어진 풍경 소리 찾아서 두리번거려
애달픈 너의 목소리인 듯
마음마저 뭉개진다

우포늪 식당

경상남도 창녕군 유어면 우포늪길,
질펀한 구름 두둥실 떠 있는 하늘 같은
늪에 빠져 허우적거린 듯한 마음
어쩌지 못해 부둥켜안고 헤매고 있다

우포늪 식당
우렁이 두부전골도 그렇지만
잉어며 붕어, 메기까지
찜이 되어 먹음직스럽게 나온다

고소한 된장과 어울리는 우렁이
된장찌개 한 냄비에
목구멍으로 밥이 술술 잘도 넘어간다
논고동 무침에 비벼 먹는 밥 한 공기

우포늪 둘레길 한 바퀴
시곗바늘처럼 돌고 나서 허기진 배를
채우기 딱 맞다

금탑사 비자나무숲의 푸른 노래

전라남도 고흥군 포두면 금탑로,
휘황찬란한 금탑이 서 있는 저 너머 뒷배경은
비자나무 빽빽이 들어선 비자나무숲이
이루어져 있을 것만 같았는데
이런 내 생각은 구름처럼 떠서 금세 흘러간다
천년만년 바람처럼 맴도는 저들의 노래
푸르고 푸르러서 마음도 따라서 푸르기만 한데
기름칠이 덜 된 저 굇바퀴는
굴러갈 생각을 잠시라도 하지 않고 있다
헤매기만 하던 눈물이 눈동자를 겨우 빠져나와
흐르는 한쪽 뺨이 차가워서 스산하기만 하고
녹슨 새소리는 자꾸만 삐거덕거리고 있다
사랑이 없는 마음 같은 빈 길을 걷고 있으니
내 어린 시절의 낮달이 머리에 써진다
푸른 기운은 어쩌면 비자나무의 마음일지도,
숲길 따라 걸으면 걸을수록 푸르름에 소화된다

박꽃 피는 저녁은

박꽃 피는 저녁은 달도 환하게 피고
형광등 불빛 아래 얼굴이 아름답다
자줏빛 한 알의 그리움 절정으로 치닫는

참새

흘러가는 하늘 강이 전깃줄에 잠시 멈춰
잊혀 간 옛 노래를 부르는 음표 같아
길에서 듣는 노래가
오늘따라 끌리네

접시꽃 당신

1
유월이 오면
환하게 웃는 당신처럼 깨끗하게 씻은
접시를 말려 놓습니다
저만큼
금세 향기를 덜어 놓는
당신은 나눠 주기를 참 좋아합니다
섬의 해가
서녘 수평선에 걸쳐지는 저녁이면
당신의 향기는 발걸음처럼
뚜벅뚜벅 우아한 숙녀답게 걸어갑니다
여기저기 당신이 씻어
층층이 말려 놓은 접시가 반짝거리고
당신을 감싸 주는 여름은 깊어져만 가는데
피었다가 지더라도 그동안만큼은
아름다운 미인의 모습으로
그 향기 부드럽게 나아가길 바랍니다
당신을 바라보는 순간
지진이 난 듯 마음이 요동칩니다

2

강 건너 피어 있는 접시꽃 당신 보고
라디오 노랫소리 듣는 듯 설렌 기분
녀석의 순정이더라도 향기롭게 지내요

쌍끌이 어선

평화로움이 누룽지처럼 눌어붙은
작고 작은 어느 어촌 마을에서
소 두 마리가 하나의 쟁기로 밭을 갈고 있다
잠잠하던 밭고랑이 한차례 철썩거린다
희망 없이 소금기만 잔뜩 몰고 온 바람이
간간이 짜디짠 서러움을 토해 내고
땅속에 세 들어 살던 지렁이도 꿈틀거린다
소의 무뚝뚝한 걸음을 닮은 농부의 마음
지친 그림자는 아예 바닥에 드러누워 있다
등 뒤의 산은 푸른 녹음을 자랑하고
하늘은 허송세월 눈물 닦은 구름을 말린다
내 인생 편안하다 못해 더위에 찌든 여름날
점점 끝이 보이기 시작하는 밭을
소 두 마리가 쟁기를 끌며 되새김질한다

사랑의 낚시질

더위가 방해하는 여름날
그대 마음 가운데 던져 놓은 낚싯줄
갯지렁이 꿈틀거리고 있으니
그대는, 파라솔 그늘 한 점 없이 앉아 있는
내 모습은 아랑곳하지 않고
갯지렁이만 쏙 물고 재빨리 달아나는가
엊그제 단옷날이 지나갔어도 늦게나마
창포물에 머리를 담가 삶은 국수 면발처럼
내 마음도 따라서 탱글탱글할 때
빗살처럼 쏟아지는 햇살 마구마구 맞는데
반으로 찢어진 하트 구름 꿰매고 싶은
갈매기 한 마리 헤맨다, 수평선에 걸린 어선
그대를 잡으려고 그물을 내렸다
내 것이 아닌 것 같기는 했었는데
설마 인어 공주 같은 꼬리지느러미라도
건져 올릴 수 있을 듯! 헛된 꿈만 같은
망망대해를 바라보는 눈동자에
갈매기가 연거푸 끼룩끼룩 지친 울음소리로
수평선 향해 다시금 날갯짓하고 있다

내 마음 너와 같다면

내 마음
너와 같다면 나 홀로 독백하지
않아도 되겠지만 인연은 오래가리

오묘한 사랑의 무게
초저녁의
달 저울

화순 옛날 두부

전라남도 화순군 화순읍 시장길,
1987년에 문을 열어
두부 요리로 외길을 걸어온
화순 옛날 두부

순수하고 담백한 두부 같은
사장님의 마음으로
손님들 기분은 구름처럼 두둥실 떠 있다

화순 고인돌 전통 시장에서 장을 보고
그냥 가기 아쉬운 발걸음이
맞은편 두부 맛집으로 모여든다

단체 예약 식사도 가능하지만
그 어느 식당보다도 혼밥을 환영한다니!

뽀얀 거품 보글거리며 끓어오르는
순두부찌개 한 냄비에
밥 한 공기가 저절로 비워진다

냉동 해물 가득! 국물도 넉넉!
해물탕 같은 맛이 느껴지는 두부전골
청양고추의 칼칼한 맛이
입안에서 잘게 잘게 부서지고 있다

건봉 국밥을 먹으며

35년 이어오는 꾸준한 맛의 자랑
순천 아랫장 노포 건봉 국밥
간편한 밀키트 한 봉 포만감이 쌓인다

순천 아랫장에 솥 하나 걸어 놓던
그 시절 눈물겨워 호호 불며 먹는
따뜻한 국밥 한 그릇처럼 그 마음 채워진다

끓여 낸 육수에도 그만큼 정성 가득
훈훈한 사장님의 깊은 뜻 그릇에 담겨
배불리 먹이는 것이 덕을 쌓는 길이라고

불국사 근처

지금 내가 듣는 명랑한 저 소리 들려오는가
번뇌를 잊은 중생들을 한꺼번에 찾으러
범종을 떠나 외출하는 저 소리를 나는 듣는다
오랜 전생의 허물을 용케도 벗겨 내고
탈피한 나 자신은 아직 이승을 떠돌고 있어
영원을 상실한 별들을 빨아들이는 블랙홀
흐린 날에 고도를 낮추는 제비의
재빠른 몸놀림은 이미 타고난 것 같다
들끓는 욕망 비록 내리는 비처럼 슬프긴 해도
숨 쉬며 살아 있어 꽃처럼 피어나는 것
알지 못하면 꿈속에서도 만나지 못하는 이치!
허물처럼 미련 없이 사랑을 벗겨 내고
다보탑과 석가탑을 쓰다듬는
달마의 손길 같은 바람 소리를 듣고 있다
봄은 지나갔어도 나비처럼 걷는 공양간 보살
장맛비 실컷 뛰어노는 자비스러운 날에는
승소라도 웃음처럼 한 그릇 비우고 싶어진다
석굴암 쪽에서 바람의 물결에 떠나오는
나뭇잎 배에 엷은 미소가 타고 있는 듯한데
이따금 후생을 기약해야 하는가, 생각에 잠겨

물병을 기울이며

1

참회라도 하듯 물병을 기울이고 있다
마음을 밑바닥까지 비우고 싶었다
참 기나긴 시간 동안
그 여자를 잊고 너를 채우고 또 채운다
가득 채워지기를 기다리는 듯
입을 막은 지퍼는 열리지 않는다
낮달은 호시절을 생각하는 것처럼 떠 있다
밤이면 하늘에는 어린 별들의 눈빛이
반짝거린다, 산이 그림자 베개를 내려놓으면
돗자리를 깔고 드러눕고 싶어진다
물을 채 다 마시기도 전에
사랑의 꼭지를 뗀 작은 열매들이 떨어져
텅 빈 마음 같은 바닥에서 뒹굴고 있다
굶주린 바다는 해변에서 파도로 날름거린다
밤은 어둠을 비우기까지 또 얼마나
먹물에 잠겨 있어야 하나, 비운 마음에
너를 채우려고 물병을 기울인다

2

곽외에 있는 사람 마음에 들이려고
군마음 먹지 않는 하루가 길다 해도
자연미 넘치는 그 사람 물 한 병을 기울여

나로도 하얀 노을 카페

전라남도 고흥군 동일면 와다리길,
봉래면과 동일면 사이
두 섬을 이어주는 나로2대교가 엎드린
다리 입구에는
펜션과 호텔 그리고 카페가 삼합처럼 어울리는
하얀 노을이 한껏 눈부시게 자리 잡고 있다

커피 한 잔의 은은한 향기에 빠져들다가
카페 사장님 마음처럼 투명한 창가에 서서
오른쪽을 보면 사양도가
왼쪽을 보면 나로2대교가 보이니
바라보는 눈길에 따라 액자가 달라진다

푸른 양탄자 드넓게 깔아 놓고
윤슬이 반짝반짝 뛰어다니고 있다

오랫동안 향기로 침묵하는 시간

한 빗속을 두 사람이 걸어온다
하나는 우산을 들고
다른 하나는 우산 없이 걸어오는데
내 마음이 축축하게 젖거나
혹은, 젖지 않는다
연처럼 띄우던 낮달은 실이 끊어져 좌초되고
얼룩진 낙엽 한 장에 마음을 끄적거린다
나뭇가지에 앉아 한동안 떨다가
어딘가로 날아가는 새 한 마리의 꽁무니 뒤로
떨리는 빗방울이 두리번거리고 있다
저수지 가득 채워지자
오래전의 기억이 자꾸만 넘실넘실
명왕성처럼 자리를 이탈할 것만 같은데
경계를 모르고 피어난 꽃이
오랫동안 향기로 침묵하는 시간
따끈한 연꽃잎차에 순간 뜨거워진다

학교 앞 오빠 분식

광주광역시 광산구 산정로6번길,
하남중학교 정문 앞에 있는
학교 앞 오빠 분식

하남중학교 남학생이
가끔 후배에게 분식을 사 주고 싶을 때
학교 옆에 있는
하남중앙초등학교 어린이에게
떡볶이라도 사 줄 것인데

가끔은
아주 가끔은 나도 분식이 생각난다

참새가 노래하듯
재잘거리는 소리 들리는가 싶더니
교복 입은 학생 몇,
날개처럼 활개 치던 두 팔을 접고
분식집 간이 의자에 앉아

떡볶이 한 컵

어묵 한 꼬치 하나씩 잡고
수제 튀김이 튀겨지듯
마음을 바삭바삭하게 튀기고 있다

버스 종점

터미널 다다르자
버스는 자동으로 뒷문을 열어젖힌다
앞문도 활짝 열려

승객이 모두 내리자
차고지로 들어간다

유월의 장마

중편 소설처럼 장마가 시작되었다
지루하기도 혹은,
기분에 따라 지루하지 않기도 하겠지만
긴긴 장마는 얼마 동안 지속될 것인데
빗소리만큼이나
차분하게 걸어가는 발소리 들린다
빗살이 내리꽂히더라도
애국심만은 전사하지 않았던 우리의 영웅
한탄하는 소리가 강을 따라 내려갔다
장마가 치열한 전선을 타고 북상하는데
며칠간의 거친 소리가 귀를 뚫겠으니

여름밤

그 누구도 반성하지 않은 평일이 지나고
한숨에 반성조차 거듭하지 않는
주말이 하릴없이 또다시 지나가고 있다
하루 절반의 지루한 고행 끝에 새와
주고받은 이야기들 여기 널리고 널렸다
모든 것이 꽁꽁 어는 한겨울도 아닌데
눈사람이 녹는 듯 땀방울이 흐르고 있다
여름밤은 긴긴 은하수가 기적 소리도
울리지 않고 목적지로 출발하려고 한다
흐린 날만 기억하면 종이 같은 비가 오는
바깥 풍경을 접고 싶은 적이 몇 번 있다
싱싱한 저 별을 솎아서 샐러드를 먹을까,
화창하게도 찬란했던 순간을 떠나보낸다
달의 미소 아래 무릎을 꿇고 앉아 있다

기다리는 마음

걸어오다가 나무처럼 우뚝 서서
그 자리에 뿌리를 내린 듯
누군가를 기다리며 그가 가만히 있다
나무는 그를 경계하며
그늘 밖으로 밀어내려고 한다
꿈에서 만나도 좋고 현실에서 만나도
좋다는 어느 화가의 사랑이
하늘에 뭉게뭉게 그려지고 있다
나뭇잎 같은 푸른 선물을 들고 걸어오는
발걸음 소리에 그가 귀 기울이면서
그녀가 눈앞에 보이기를 기다린다
아무 생각 없이
그림자는 그를 물끄러미 올려다볼까
굳이 애써서 찾아가지 않아도
꼭 만나야 할 사람이라면 찾아올 것인데
기다리는 마음은
해마다 이맘때면 철썩거린다
비구름은 또 어느 곳을 헤매며 울까

꽃이 진 그 자리는

꽃이 진 그 자리는 향기가 남아 있어
그리운 마음 가득 어디로 흘러간다

장맛비 추적거리는 날
마음 또한 추적거려

나뭇잎 배

해 지는 저녁 풍경 노을을 뒤로하고
흘림체로 흐르는 냇물에
나뭇잎 배 유유히 떠가고 있다
손을 담그자 두부처럼 말랑말랑한 느낌
이내 한순간에 으깨어지는 냇물
그러면서도 자유자재로 흐르고 있다
내가 얇은 냇물에 엎드리면
너는 징검다리처럼 건너가고 싶을까
텃밭에는 채소가 들쑥날쑥 자라고
나뭇잎은 그 위로 잠시 팔랑팔랑 날다가
운수 좋게도 가볍게 살짝 내려앉는다
내 앞에 그대 활짝 피어나듯
떠가는 나뭇잎 배 앞에는 누가 피어날까
그리움이라는 돌멩이를 풍덩
가슴 울리도록 던져버리고 오는 길
가로등이 건달처럼 눈을 부라리고 있다

자귀나무

한 끼의 식사를 만족스럽게 하고
종이 커피 한 컵 들고 길가에 서 있다
공작새처럼 아름다운 자귀나무
행인들은 옛날이야기를 늘어놓는다
철없던 시간이 막무가내로 가고
그것을 꺼내 말리듯 늘어놓는 사람들
여기 오늘 모인 사람 중에서
꽃나무 한 그루로 일어설 수 있을까
막다른 골목으로 조각난 햇살이 모인다
하늘에는 이제 막 분실된 구름
얼룩처럼 덕지덕지 묻어 떠 있다
장마철이라도 여기는 아직 괜찮은데
그대 머무는 그곳은 어떠한가요
밥 한 솥을 지어 며칠 동안 먹을 때
식사조차 제때 챙기지 못한
누군가가 기억의 창가에 어슬렁거린다
슬픔을 오랫동안 가지고 다니다가
어딘가에서 잃어버린 하루가 다 간다
자귀나무 잎을 좋아하는 소의 울음소리
해가 지고 또다시 밤이 찾아오면

나의 마음은 주먹을 쥐듯 오므라든다
저 건너편에서 기다리는 아침
일찍 일어난 참새들이 볼륨을 높인다

참나리꽃

장소를 불문하고 산과 들에 피어나는
국민의 마음을 대표하는 참나리꽃
빈들을 적시는 향기 물씬 풍겨 설레네

박의 씨 물어다 준 제비처럼 착한 마음
막 올린 무대 위의 파마로 올림머리
점점 더 가까워지는 우리 사이 어쩌면

봉선화

송이송이 봉선화 꽃잎 길가에 피어 있는
순수한 그 모습에 나 또한 순수해져
임 생각 물들이는데 노을 또한 물든다

연리지 연가

이토록 연리지 같은 부부가 어디 있을까
충고하지 않아도 다정스럽게 손잡고
일말의 슬픔은 모두 잊어버릴 수 있으니
홍시 같은 노을 물드는 서녘 하늘을 본다
성장한 사랑은 어느새 잎이 무성해져서
예전과 같은 마음으로 서로를 감싸준다

이발

정원사가 작은 꽃나무 한 그루 앞에서
서성거리며
유심히 살펴보고 있습니다
잠시 후 스프레이로 물을 뿌리더니
덥수룩하게 자란 꽃잎을
싹둑, 싹둑, 가위질하여 잘라냅니다
잘린 꽃잎이 굶주린 개처럼 바닥을 핥고
하늘은 금세 장맛비라도 내릴 듯
먹구름이 자욱하게 모여들고 있습니다
꽃잎이 자라나기를 기다리는 동안
정원에 놓인 의자에 앉아
꾸벅꾸벅 졸기도 하는 정원사의 하루가
개밥바라기 별처럼 반짝거립니다

건빵을 달다

귀갓길,
누군가 떨어뜨리고 간 단추를 주웠다
어느새 눅눅해진 사랑 같은
그 단추 하나를 윗옷에 달고 있다
단춧구멍은 달랑 두 개이지만
그 무엇도 넣을 것이 없는 주머니에
허름한 단추를 또 달려고 한다
흔하디흔한 동그라미 모양이 아닌
네모 모양의 단추를 달고
단추를 하나하나 오랫동안 채우는 동안
하늘에도 단추가 반짝거리고 있다
눈동자 가득 눈물이 차오르고
따뜻했던 그 사람의
단추는 아직 체온이 남아 있었다
처음 만났던 설렌 기분이 이젠 헤어지며
짧기만 한 별똥별 같은 시간
단추를 채우다가 달빛처럼 으스러지듯
늦은 잠을 한 곡 청해 들으려고 한다

상류에서 하류로 노래하는 강물

순식간에 모래에 묻힐 뻔한 노래가
상류에서 하류로 흘러간다
잊어버릴 것만 같았던 기억 속에
옛 추억으로 가는 길은
항상 강어귀를 향해
자갈이 서로 얼굴을 마주하고 있었다

언젠가 좁은 여울목에서 불렀다, 노래를
한 곳에서만 머무르지 않고
이리저리 옮겨 다니는 시원스러운 강물
맑은 마음을 투명하게 보이면서까지
강가에 서서 노래를 듣는
나를 위해 잔잔한 감동으로 흔들리며

손을 담글 때마다
온몸으로 스며드는 차가움 물러가니
강자갈 같은 까칠한 마음 흐르고
감정 서린 시절만 비칠 뿐

적대봉 오르는 길

오래되어 때 절은 시집 한 권 들고
적대봉 오르는 길
나, 저 정상에 있는 봉화대에 오르면
활활 타오르다가 이내
어쩌지 못하고 연기처럼 사라질까
저 아래 어디쯤
박치기왕 김일 선수 태어난 평지 마을 있을 텐데
나 또한 그 마을이 고향!
파도 회초리 맞아가며, 철썩철썩
우는 가냘픈 섬을
철모르던, 너무도 어린 나이에 떠나와서 미안하다
짜디짠 바다 향기 물씬 나는 매생이
그리고 눈물겨운 양파가 특산품이라지
흔적조차 없이 사라졌을 내 고향 집
이맘때 옛 처마 밑에 서 있으면
지지배배, 제비가 울어주었을 것인데

여름비

여름에 비 내리면
조금이나마 더위가 물러갈 것 같으나
사람마다 생각하기 나름인가
이내, 먹구름이 벗어 놓는 빗줄기
그녀의 길고도
가느다란 머리카락 떨어지고 있다
내 사랑도 이제 끝물이겠거니!
한동안 잘 나가던 청춘도 이제 어느덧
마흔을 바라보고 있는가
내 눈동자에서도
빗방울이 맺히는가 싶더니

비라는 꽃

김 가루 날리듯이 내려온 비라는 꽃
숙연한 마음가짐 어디서 찾아볼까
미인은 오늘 하루도 꽃이라서 환하네

간절한 아침의 새소리

주말 아침
눈뜨기도 전에 먼저 일어나 우는
저 간절한 아침의 새소리
혹시나 전날 밤 알람을 맞춰 놓았던가
꿈결에 제멋대로 맞춰 놓았을까
새벽녘 잠깐 일어나 마신
물 한 잔의 기억을 무심코 넘기지 못한다
향기 새어 나오는 꽃 한 송이처럼
간절한 아침의 새소리가
멈추지 않고 줄기차게 새어 나온다
푸른 녹음은 보란 듯이 짙어지고
잠시 기대고 싶은 나무 한 그루 가지에
아직 익지 않은
새들이 복스럽게도 주렁주렁 달려 있다
서서히 빛을 비운 낮달이
우윳빛 구름을 온몸에 걸치고 나온다

바닷가에서

바닷가 거닐다가 조가비 하나 주워
가만히 보다 보면 네 생각 철썩철썩

온종일 스치기만 하고
멀어지는 사랑아

나로도 청호레저호 바다낚시

전라남도 고흥군 봉래면 나로도항길,
알라딘의 양탄자처럼
날아갈 것 같은
신비스러운 나로도 바다를 나아가는
낚싯배 청호레저호

하늘에는 구름 펼치고 조업 중인 낮달
긴긴 여름 한낮이
매미 울음소리처럼 지나간다
구름에는 걸리지 않던 물고기가
청호레저호 선상에 드리워진 낚싯바늘을
물고, 물고 올라온다

짜디짠 바닷물에 출렁거렸을 시간을
온몸 펄쩍거리며 떨쳐버리고